ARKADAŞIM ARICI

Ralf Butschkow

Çeviren: Ayça Sabuncuoğlu

Orijinal Adı: Ich hab einen Freund, der ist Imker
First published in 2010 by Carlsen Verlag GmbH, Germany

Copyright © Carlsen Verlag GmbH, Hamburg 2010

Türkiye yayın hakları: © 2013, Türkiye İş Bankası Kültür Yayınları
Sertifika No: 29619
ISBN: 978-605-332-046-3 - Genel yayın numarası: 2933

Çeviren: Ayça Sabuncuoğlu
Editör: Nevin Avan Özdemir
3. Basım: Ekim, 2015

Baskı / Printing House
GOLDEN MEDYA MATBAACILIK VE TİCARET A.Ş.
100. Yıl Mh. Mas-Sit 1. Cad. No: 88
Bağcılar İstanbul
(0212) 629 00 24
Sertifika No: 12358

Türkiye İş Bankası Kültür Yayınları
İstiklal Caddesi, Meşelik Sokak No: 2/4 Beyoğlu 34433 İstanbul
Tel: (0212) 252 39 91 - Fax: (0212) 252 39 95
www.iskultur.com.tr

TÜRKİYE İŞ BANKASI
Kültür Yayınları

Petek gözler

Kanat

Hortum

Bacaklar

"Polen şortlu" arka bacak

Duyargalar

NY

Kerem adında bir arkadaşım var, kendisi arıcıdır. O gün öğleden sonra şehrimizde bir sokak şenliği vardı, ben de standında bal satmayı planlayan Kerem'e yardım edecektim.

"Merhaba, Leyla," diyerek selamladı beni. "Tam zamanında geldin. Balın nasıl yapıldığını görmek ister misin?" Tabii ki isterdim!

Hava, vızıldayarak kovanlara girip çıkan arılarla doluydu.

"Bak işte," dedi Kerem, "çalışkan bir arı böyle görünür. Büyük petek gözleriyle çiçekleri fark eder. Toplayıcı arı, çiçek tozunu ve öz suyunu (nektar) kovana getirir. Çiçek polenlerini arka bacaklarındaki 'polen şortu' denen küçük paketlerde taşır." Gerçekten de arı sarı şort giymiş gibiydi!

"Arı, çiçek öz suyunu vücudundaki bal kesesinde taşır," diye açıkladı Kerem. "Topladığı ürünü kovanda diğer arılara aktarır."

"Kovanın en alt kısmında giriş deliği vardır. Burada kraliçe arı ve içine yumurtalarını bıraktığı kuluçka petekleri bulunur. Yavru arılar bunlardan çıkar," diye açıkladı Kerem.

"İşçi arılar çiçek öz suyunu ve polenleri kovanın üst kısmındaki peteklere bırakırlar. Erkek arılar son olarak petekteki hazır balın üstünü bir balmumu tabakasıyla örterler." Kovanda bütün arılara yetecek kadar stok vardı.

"Şimdi de sana, bir arıcının balı nasıl topladığını göstereyim," dedi Kerem. Bir kovanın kapağını dikkatle kaldırdı ve buhurdanlıkla içeriye duman üfledi. "Bu, arıları sakinleştirir," diye açıkladı. Sonra bir peteği kovandan çekip çıkardı. Vay canına, üstünde bir sürü arı vardı! Kerem, bir kovanda 60.000'e yakın arının yaşadığını söyledi. Bu kadar çok insan anca stadyuma sığar! .

Kerem yumuşak bir kaz tüyüyle arıları dikkatle peteklerden kovana geri süpürdü. Sonra kapağı yine kapadı. Arılar hiçbir yerini sokmamıştı!

Dolu bal peteği çok ağırdı! Kerem peteği santrifüj odasına götürdü. Burada peteklerdeki bal alınıyordu. Bir kazıma çatalıyla balmumu tabakalarını peteklerden sıyırdım. Tabakaların altındaki bal altın gibi parlıyordu.

Kerem, balmumu tabakası kazınmış bir bal peteğini bal santrifüjüne soktu.

Kerem bal santrifüjünün motorunu çalıştırdı. Petekler çok hızlı döndü ve bal dışarı fırlatıldı. Taze toplanmış bal, makinenin altındaki ince süzgeçten geçip bal kabına aktı. Tadına baktım. Nefisti!

"Burada balı kavanozlara dolduruyoruz," diye açıkladı Kerem. "Her kavanoza eşit miktarda bal konulsun diye, doldururken tek tek tartıyoruz."

Kerem balmumu kalıntılarını ve eski petekleri eritti. Balmumunu balmumu işleyen birine verdi, adam onu temizleyip presleyerek balmumu plakaları yaptı. Kerem daha sonra bu plakalarla kovanları için yeni çerçeveler çattı. Arılar balmumu plakalarının üstüne yeni petekler yapıp onları balla dolduracaklardı.

Derken Kerem'in karısı Lale heyecanla pencereden baktı: "Elma ağacında arılar oğul yapmış," diye seslendi, "çabuk gel!"

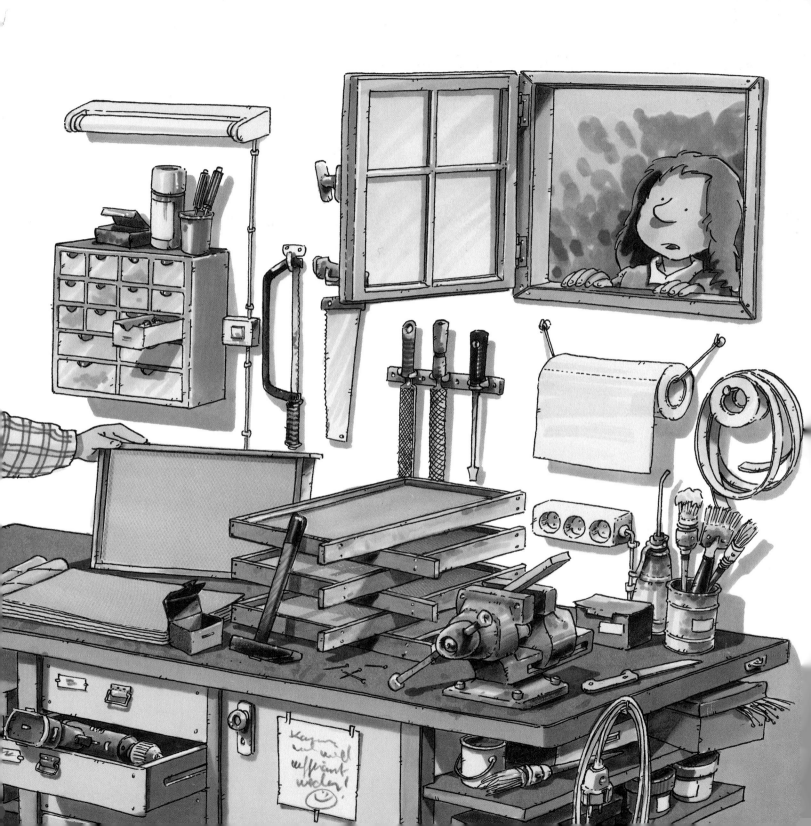

Kerem arıcı şapkasını ve sürü sepetini alıp koştura koştura elma ağacının yanına gitti. Arı topluluğunun bir kısmı kraliçe arıyla birlikte ev arayışına çıkmış. Arı sürüsü elma ağacının bir dalında yığın halinde toplanmış.

Kerem sürü sepetini altına tutup dalı dikkatle silkeledi. Sonunda sürü, olduğu gibi sepetin içine düştü. Kerem'in tek yapması gereken, kapağı kapatmaktı. "Yarın arıları yeni, boş bir kovana boşaltacağım," dedi Kerem.

Az kalsın heyecandan sokak şenliğini unutuyorduk. Çabucak servis arabasını yükledik. "Dışarıda çiçek kalmadığında, arılar ne yer?" diye sordum Kerem'e.

"Soğuk mevsimde arılar kovanda kış uykusuna yatarlar," diye açıkladı Kerem. "İlkbaharda ve yazın toplayıp peteklere depoladıkları stoklardan beslenirler."

Şehre giderken, çiçek açmış bir kolza tarlasının yanından geçtik. "İşte benim arılarım burada kolza balı yapıyorlar. Ayrıca çiçekleri de döllüyorlar," dedi Kerem.

"Bir balın nereden geldiğini tadından anlayabilirsin. Kolza balı dışında örneğin ayçiçeği ya da ıhlamur balı da vardır."

Arıcı şapkası

Tartı

Kaz tüyü

Bal kavanozu

Arıcı eldivenleri

Sürü sepeti

Petek

Kerem sokak şenliğinde yalnızca bal değil, balmumundan yapılmış mum ve bal şerbeti de sattı. İleride ben de arıcı olmak istiyorum. Kerem şimdiden arı gibi çalıştığımı söylüyor.